ISBN 978-2-244-49119-6
© Lito, 2002

Juliette

est amoureuse

Texte et illustrations de
Doris Lauer

Editions Lito

Juliette est rentrée de l'école avec sa
photo de classe. Du doigt, elle en fait le tour :
- Regarde, maman, elle, c'est ma copine Pauline.
Là, c'est Jordan, Lisa, Paco, Thomas, Caroline.
Et lui, c'est Nicolas, et c'est mon amour !

-Ah bon! Tu as déjà un amoureux ?
Petite cachottière! Mais, raconte-moi,
qu'a-t'il donc de spécial, ce garçon?
-Ben, Nicolas et moi, pour faire la ronde,
on se donne la main tous les deux!

- C'est tout ?
- Ben oui !... Enfin non. Nicolas, c'est le plus fort. Il fait la bagarre aux autres garçons et même à des filles, mais avec moi, il est toujours gentil !

-Ah, ah! Et puis?
-Ben... Il dit des gros mots rigolos!
-Des gros mots?
-Oui, il dit «caca boudin» et «crotte de
bique»... Et encore un autre trop, trop,
trop gros que je peux pas te dire!

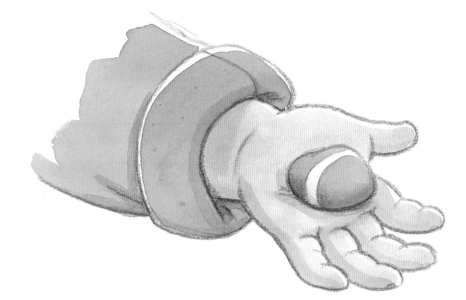

- Eh bien !
- On se fait aussi des cadeaux !
Une fois, Nicolas, il m'a donné
un joli caillou, et moi, je lui ai
fait un dessin doux très beau.

-C'est mignon comme tout ! dit maman.
-Et quand c'est l'heure du goûter,
Nicolas me donne un bout de son
chocolat, et moi, à la récré, je lui
donne un peu de mon croissant.

-Alors, tu penses qu'il t'aime?
-Bien sûr, puisqu'il est mon amour!
Sauf qu'il est aussi l'amour de Lisa.
-Aïe, c'est pas embêtant, ça?
-Mais non, c'est moi la première!

-Bon, bon! Et vous vous faites des bisous?
-Oh là là, mais tu veux tout savoir, toi!...
Bon, d'accord, une fois, j'ai fait
un bisou-cœur à mon chouchou!
-Un bisou-cœur! C'est quoi?
-C'est-sur-la-bouche-et-je-veux-plus-rien-dire!

www.editionslito.com

Lito
41, rue de Verdun 94500 Champigny-sur-Marne
Imprimé en UE
Loi n° 49-956 du 16 juillet 1949 sur les publications destinées à la jeunesse
Dépôt légal : mars 2010